'사고력수학의 시작'

팡세

pensées

C2

3학년 │ 퍼즐과 전략

사고가 자라는 수학

씨투엠

사고력 수학을 묻고
팡세가 답해요

Q: 사고력 수학은 '왜' 해야 하나요?

사고력 수학은 아이에게 낯선 문제를 접하게 함으로써 여러 가지 문제 해결 방법을 아이 스스로 생각하게 하는 것에 목적이 있어요. 정석적인 한 가지 풀이법만 알고 있는 아이는 결국 중등 이후에 나오는 응용 문제에 대한 해결력이 현저히 떨어지게 되지요. 반면 사고력 수학을 통해 여러 가지 풀이법을 스스로 생각하고 알아낸 경험이 있는 아이들은 한 번 막히는 문제도 다른 방법으로 뚫어낼 힘이 생기게 된답니다. 이러한 힘을 기르는 데 있어 사고력 수학이 가장 크게 도움이 된다고 확신해요.

Q: 사고력 수학이 '필수'인가요?

No but Yes! 초등 수학에서 가장 필수적인 것은 교과와 연산이지요. 또 중등에서의 서술형 평가를 대비하기 위한 서술형 학습과 어려운 중등 도형을 헤쳐나가기 위한 도형 학습 정도를 추가하면 돼요. 사고력 수학은 그 다음으로 중요하다고 할 수 있어요. 다만 만약 중등 이후에도 상위권을 꾸준하게 유지하겠다고 하시면 사고력 수학은 필수랍니다.

Q: 사고력 수학, 꼭 '어려운' 문제를 풀어야 하나요?

No! 기존의 사고력 수학 교재가 어려운 이유는 영재교육원 입시 때문이었어요. 상위권 중에서도 더 잘하는 아이, 즉 영재를 골라내는 시험에 사고력수학 문제가 단골로 출제되었고, 이에 대비하기 위해 만들어진 것이 초창기 사고력 수학 교재이지요. 하지만 모든 아이들이 영재일 수는 없고, 또 그래야할 필요도 없어요. 사고력 수학으로 영재를 확실하게 선별할 수 있는 것도 아니에요. 따라서 사고력 수학의 원래 목적, 즉 새로운 문제를 풀 수 있는 능력만 기를 수 있다면 난이도는 중요하지 않답니다. 오히려 어려운 문제는 수학에 대한 아이들의 자신감을 떨어뜨리는 부작용이 있다는 점! 반드시 기억해야 해요.

Q: 사고력 수학 학습에서 어떤 점에 '유의'해야 할까요?

가장 중요한 것은 아이가 스스로 방법을 생각할 수 있는 시간을 충분히 주는 거예요. 엄마나 선생님이 옆에서 방법을 바로 알려주거나 해답지를 줘버리면 사고력 수학의 효과는 없는 거나 마찬가지랍니다. 설령 문제를 못 풀더라도 아이가 스스로 고민하는 습관을 가지고, 방법을 찾아가는 시간을 늘리는 것이 아이의 문제해결력과 집중력을 기르는 방법이라고 꼭 새기며 아이가 스스로 발전할 수 있는 가능성을 믿어 보세요.

또 하나 더 강조하고 싶은 것은 문제의 답을 모두 맞힐 필요가 없다는 거예요. 사고력 수학 문제를 백점 맞는다고 해서 바로 성적이 쑥쑥 오르는 것이 아니에요. 사고력 수학은 훗날 아이가 더 어려운 문제를 풀기 위한 수학적 힘을 기르는 과정으로 봐야 하는 거지요. 그러니 아이가 하나 맞히고 틀리는 것에 일희일비하지 말고 우리 아이가 문제를 어떤 방법으로 풀려고 했고, 왜 어려워 하는지 표현하게 하는 것이 훨씬 중요하답니다. 사고력 수학은 문제의 결과인 답보다 답을 찾아가는 과정 그 자체에 의미가 있다는 사실을 꼭! 꼭! 기억해 주세요.

팡세의 구성과 특징

1. 패턴, 퍼즐과 전략, 유추, 카운팅 - 새로운 시대에 맞는 새로운 사고력 영역!

2. 아이가 혼자서도 술술 풀어나가며 자신감을 기르기에 딱 좋은 난이도!

3. 하루 10분 1장만 풀어도 초등에서 꼭 키워야 하는 사고력을 쑥쑥!

일일 소주제 학습

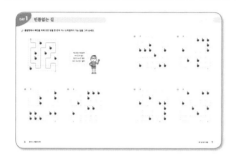

하루에 10분씩 매일 1장씩만 꾸준히 풀면 돼.

5일 동안 배운 것 중 가장 중요한 문제를 복습하는 거야!

주차별 확인학습

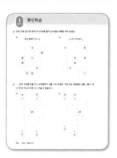

월간 마무리 평가

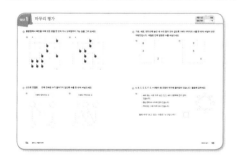

4주 동안 공부한 내용 중 어디가 부족한지 알 수 있다. 삐리삐리~

이 책의 차례

C2

pensées

길 찾기 퍼즐

빈틈없는 길

✏️ 출발점에서 폭탄을 피해 모든 방을 한 번씩 지나 도착점까지 가는 길을 그려 보세요.

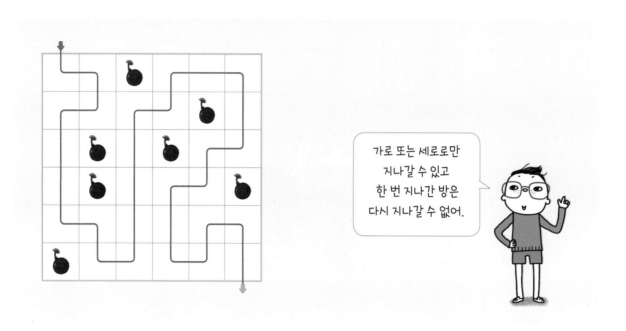

가로 또는 세로로만
지나갈 수 있고
한 번 지나간 방은
다시 지나갈 수 없어.

❶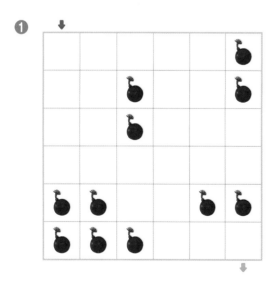

❷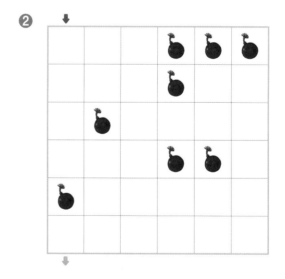

❸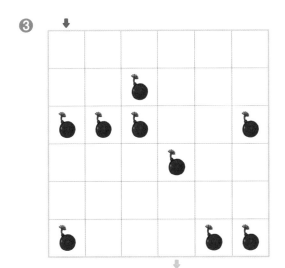

❹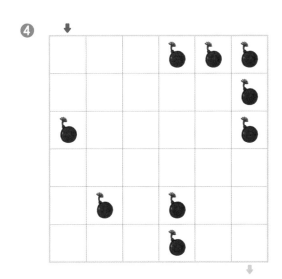

❺

❻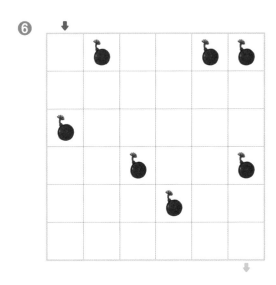

✏️ 같은 도형끼리 선을 이으세요. 단, 선은 서로 겹치지 않고 모든 칸을 지나야 합니다.

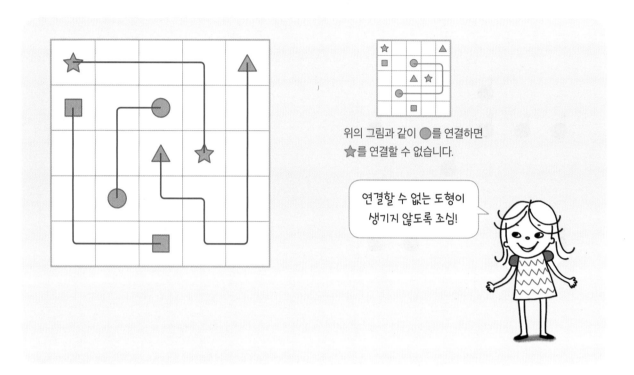

위의 그림과 같이 ●를 연결하면
★를 연결할 수 없습니다.

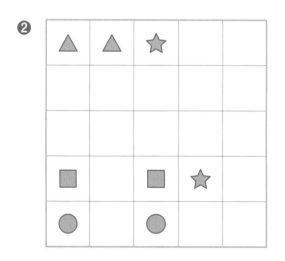

연결할 수 없는 도형이
생기지 않도록 조심!

❶

❷

❸

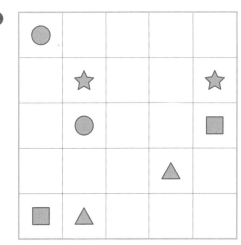

❹

❺

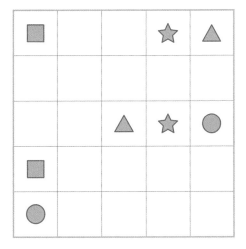

❻

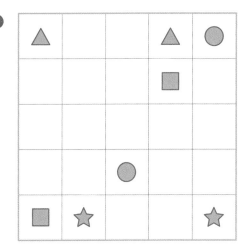

엉키지 않는 선

✏️ 같은 수끼리 선을 이으세요. 단, 선은 서로 겹치지 않고 모든 칸을 지나야 합니다.

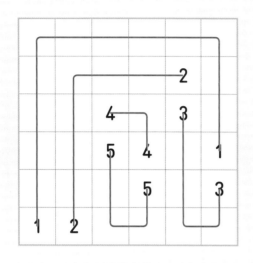

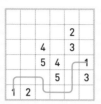

위의 그림과 같이 **1**을 연결하면
2, 3, 5를 연결할 수 없습니다.

시행착오를 하면서
답을 찾아야 해.
지우개는 필수!

❶

1	2	3		4	
				3	
	5				4
			5		
				1	
2					

❷

1				3	4
2		3	4		
	2				
		1			5
5					

❸

1					5
			2	1	
		4			3
	5	3		4	
			2		

❹

1	2	3			
				5	3
		1			
2				4	
		4	5		

❺

					2
1					
				5	4
1	2				
	3	4		3	
					5

❻

2					
	1		5		
	3		1	5	3
	2	4		4	

순서대로 빠짐없이

✏️ 모든 칸에 선이 한 번씩 지나가도록 글자 순서대로 차례로 이어 보세요.

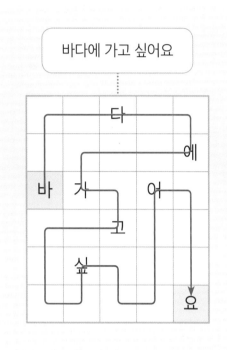

바다에 가고 싶어요

'바'에서 시작해서 '요'로
끝나도록 선으로 이어 봐.

❶ 가나다라마바사아

			나
	가		
		다	사
		마	아
라			바

❷ A B C D E F G H

		H	D
	E		
			C
		F	A
G		B	

❸ 잠자는 숲속의 공주

주				
잠			는	
				공
	자	숲		
			속	
	의			

❹ 나는 만화가 좋아요

화				
			만	
		나	요	
	는			
	가			아
		좋		

❺ 할머니 사랑해요

				니
	할			
		사	해	
머			랑	요

❻ 월화수목금토일

				월
				금
		화		
			목	토
수		일		

◯ 안의 수만큼 칸을 지나 도착점까지 선을 그어 보세요. 가로 또는 세로로만 선을 그을 수 있고, 한 번 지나간 칸은 다시 지날 수 없습니다.

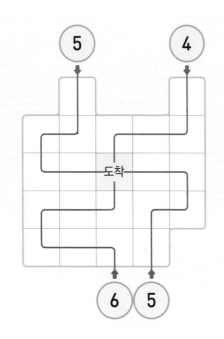

모든 칸에 선이 지나가야 하고 모두 도착점에 모여야 해.

❶
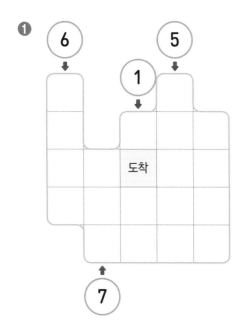

❷
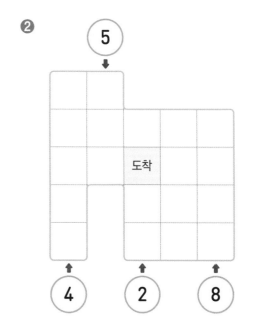

③

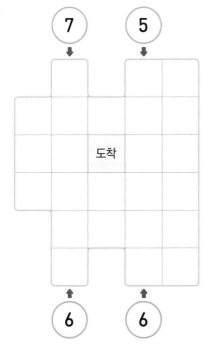

④

⑤

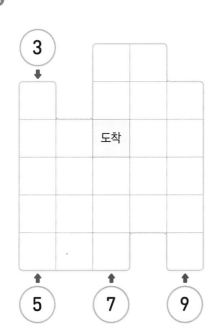

⑥

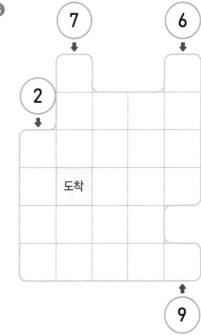

✏️ 모든 칸에 선이 한 번씩 지나가도록 글자 순서대로 차례로 이어 보세요.

❶

> 항상 행복한 우리 집

		상	
			행
항	리		
복			
		우	
	한	집	

❷

> 사고력 수학 팡세

수			팡
	학	세	
	력		
사			
		고	

✏️ ⚪ 안의 수만큼 칸을 지나 도착점까지 선을 그어 보세요. 가로 또는 세로로만 선을 그을 수 있고, 한 번 지나간 칸은 다시 지날 수 없습니다.

❸
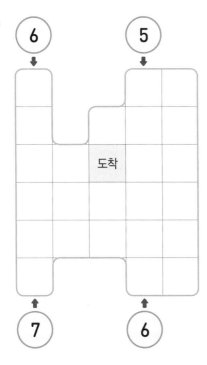

❹
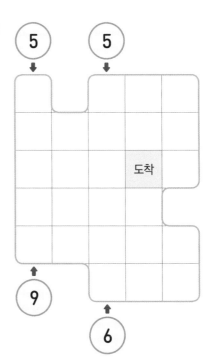

2
주차

수 세기 퍼즐

수 배치 퍼즐

✏️ 가로 또는 세로로 연속된 수가 들어가지 않도록 1부터 9까지의 수를 한 번씩 써넣으세요.

5	8	6
2	4	1
9	7	3

연속된 수는 1과 2, 2와 3, ……과 같이 바로 붙어 있는 수를 말해.

3과 연속된 수는 2와 4이므로 2, 4는 들어올 수 없습니다.

❶

	1	9
	3	7
8		2

❷

7	1	4
	5	9
		3

❸

2		8
	3	
5	9	

❹

1		2
	3	
8	6	

❺

2		5
	6	1
		8

❻

	8	2
	5	
1		6

❼

9		4
2	5	
8		

❽

9		1
	4	
	7	3

선으로 연결된 수

✏️ 선으로 연결된 ◯ 안에 연속된 수가 들어가지 않도록 수를 한 번씩 써넣으세요.

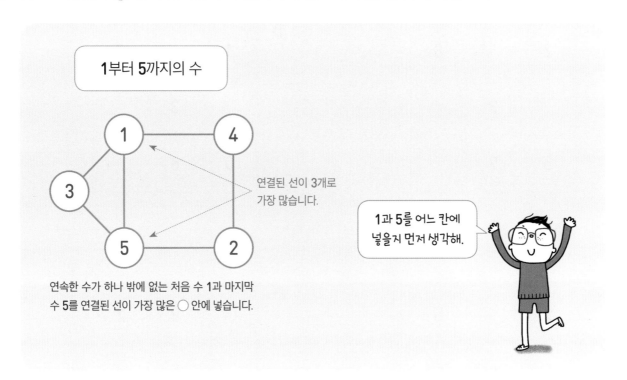

1부터 5까지의 수

연결된 선이 3개로
가장 많습니다.

1과 5를 어느 칸에
넣을지 먼저 생각해.

연속한 수가 하나 밖에 없는 처음 수 1과 마지막
수 5를 연결된 선이 가장 많은 ◯ 안에 넣습니다.

❶ 1부터 4까지의 수

❷ 1부터 6까지의 수

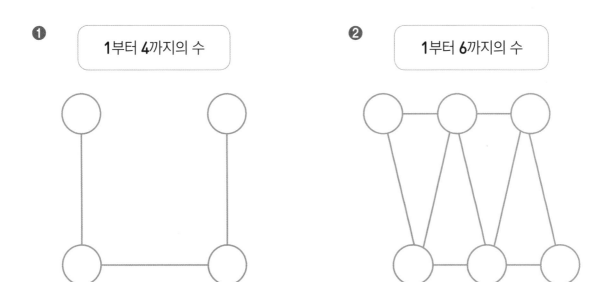

❸
1부터 **7**까지의 수

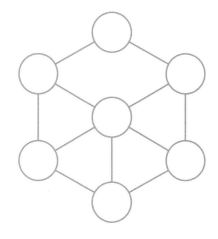

❹
1부터 **7**까지의 수

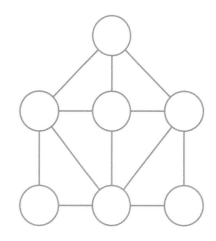

❺
1부터 **8**까지의 수

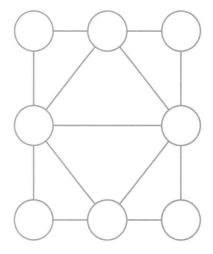

❻
1부터 **8**까지의 수

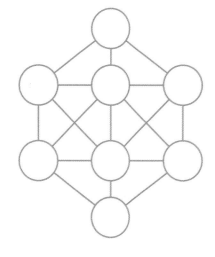

다리 놓기 퍼즐

✏️ ⬤ 안의 수는 연결된 선의 개수입니다. ⬤ 안의 수에 맞게 선을 그어 보세요.

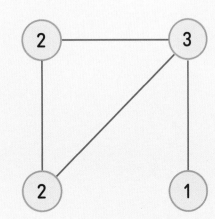

3을 나머지 ⬤와 선으로 모두 연결합니다.

가장 큰 수가 적힌
⬤부터 선을 그어 봐.

❶ ① 1   ① 1   ❷ ③ 3   ② 2

   ① 1   ③ 3   ③ 3   ② 2

❸
② 2 ② 2
③ 3 ① 1
④ 4

❹
④ 4
③ 3 ② 2
② 2 ③ 3

❺
② 2
② 2 ② 2
⑤ 5 ① 1
④ 4

❻
⑤ 5
② 2 ③ 3
① 1 ③ 3
④ 4

❼
⑤ 5
② 2 ④ 4
③ 3 ③ 3
⑤ 5

❽
② 2
② 2 ③ 3
③ 3 ① 1
⑤ 5

선으로 연결된 수의 합

✏️ 선으로 연결된 ◯ 안의 수의 합을 ☐ 안에 써넣으세요.

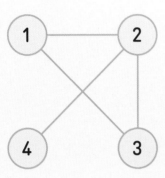

자기 자신의 수를 더하지 않도록 주의합니다.

2+3=5

1+3+4=8

1+2=3

1과 선으로 연결된 수는
2와 3이니까 ☐ 안에는
2+3=5가 들어가.

❶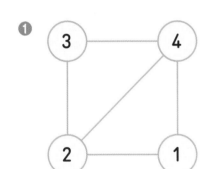

❷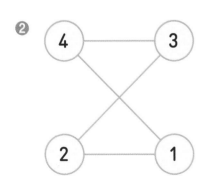

❸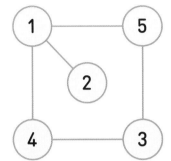

❹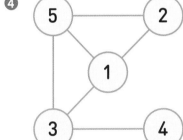

❺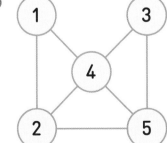

✏️ 선으로 연결된 ◯ 안의 수의 합이 ☐ 안의 수입니다. ◯ 안에 알맞은 수를 써넣으세요.

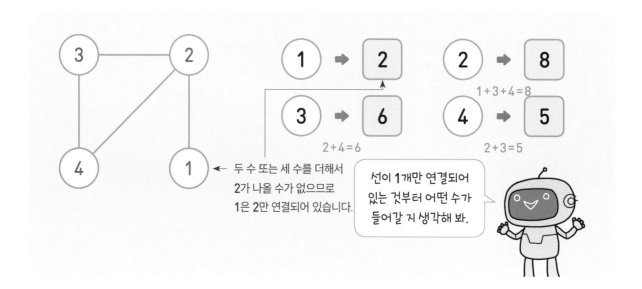

❶

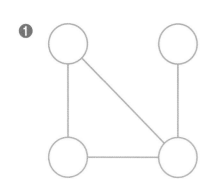

❷

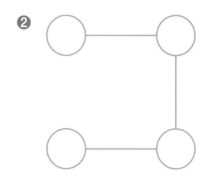

❸
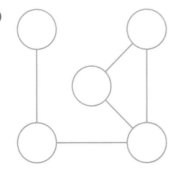

1	➡	9		2	➡	6
3	➡	5		4	➡	4
5	➡	2

❹
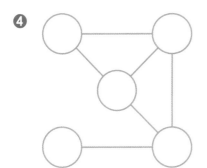

1	➡	9		2	➡	9
3	➡	8		4	➡	1
5	➡	5

❺
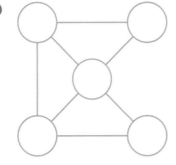

1	➡	10		2	➡	13
3	➡	3		4	➡	7
5	➡	7

✏️ ◯ 안의 수는 연결된 선의 개수입니다. ◯ 안의 수에 맞게 선을 그어 보세요.

❶

(2)　(1)

(2)　　(1)

(4)

❷

(5)

(3)　　(3)

(1)　　(4)

(4)

✏️ 선으로 연결된 ◯ 안의 수의 합이 ☐ 안의 수입니다. ◯ 안에 알맞은 수를 써넣으세요.

❸

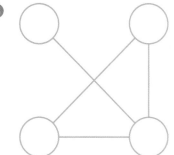

(1) ➡ [9]　　(2) ➡ [5]

(3) ➡ [1]　　(4) ➡ [3]

❹

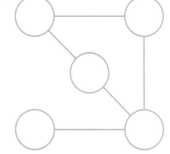

(1) ➡ [4]　　(2) ➡ [9]

(3) ➡ [9]　　(4) ➡ [6]

(5) ➡ [5]

마방진

삼각 모양 방진

✏️ 한 줄에 있는 세 수의 합이 ☐ 안의 수가 되도록 1부터 7까지의 수를 한 번씩 써넣으세요.

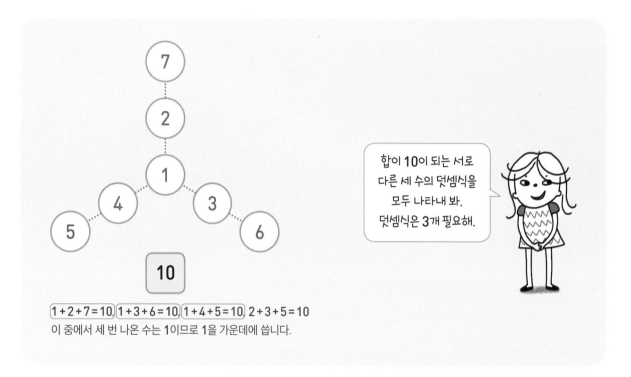

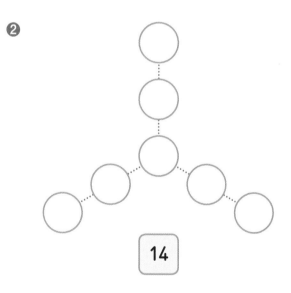

합이 **10**이 되는 서로 다른 세 수의 덧셈식을 모두 나타내 봐. 덧셈식은 **3**개 필요해.

$1+2+7=10$ $1+3+6=10$ $1+4+5=10$ $2+3+5=10$
이 중에서 세 번 나온 수는 1이므로 1을 가운데에 씁니다.

❶

12

❷

14

✏️ 한 줄에 있는 세 수의 합이 ☐ 안의 수가 되도록 1부터 6까지의 수를 한 번씩 써넣으세요.

❸
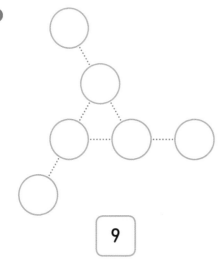

9

❹
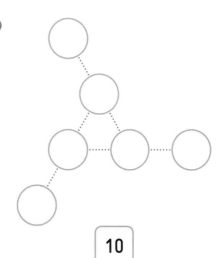

10

❺
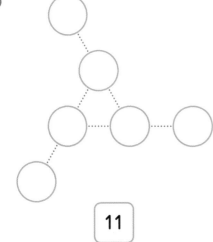

11

❻
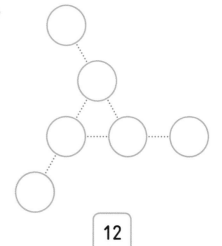

12

알파벳 모양 방진

✏️ 한 줄에 있는 세 수의 합이 ◯ 안의 수가 되도록 다음 수를 한 번씩 써넣으세요.

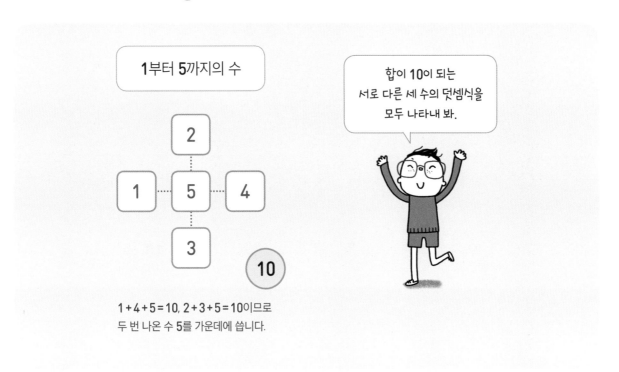

1+4+5=10, 2+3+5=10이므로
두 번 나온 수 5를 가운데에 씁니다.

❶
1부터 5까지의 수

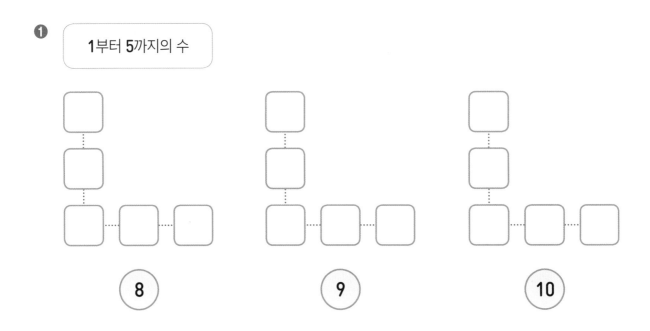

❷ 1부터 9까지의 홀수

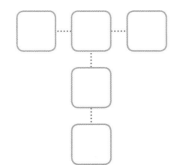 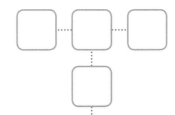 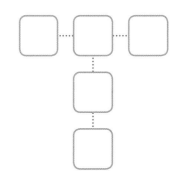

13　　　15　　　17

❸ 2부터 10까지의 짝수

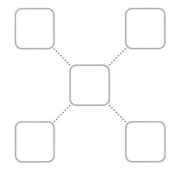 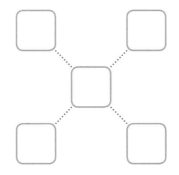 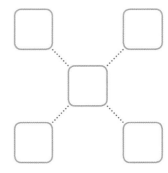

16　　　18　　　20

마방진은 가로, 세로, 대각선에 놓인 수들의 합이 같도록 수를 배열한 것입니다. 다음 마방진에서 색칠된 칸에 알맞은 수를 써넣으세요.

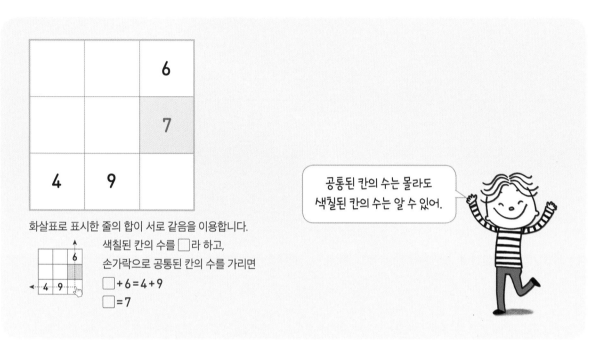

		6
		7
4	9	

화살표로 표시한 줄의 합이 서로 같음을 이용합니다.

색칠된 칸의 수를 ☐라 하고,
손가락으로 공통된 칸의 수를 가리면

☐+6=4+9
☐=7

공통된 칸의 수는 몰라도 색칠된 칸의 수는 알 수 있어.

❶

8		
	5	
4		

❷

8		6
4		

❸

9		1
	7	

❹

4		
9		
		6

❺

2		
	5	
6		

❻

2		
	5	3

❼

8	1	
		7

❽

	7	
	5	
		4

마방진의 한 수 (2)

✏️ 가로, 세로, 대각선에 놓인 세 수의 합이 모두 같도록 1부터 9까지의 수를 한 번씩 써넣어 만든 마방진입니다. 색칠된 칸에 알맞은 수를 써넣으세요.

8	1	6
3	5	7
4	9	2

색칠한 칸의 위치를 잘 봐.
파란색은 변의 가운데 수이고,
빨간색은 꼭짓점 수야.

마방진은 다음과 같은 규칙이 있습니다.
(빨간색 수) × 2 = (파란색 두 수의 합)

❶

	7	
1		

❷

		9
	3	

❸

	3	
		1

❹

9		
	7	

❺

3		
		2

❻

	1	
4		

❼

6		
		9

❽

		9
8		

✏️ 가로, 세로, 대각선에 있는 세 수의 합이 모두 같아지도록 빈칸에 알맞은 수를 써넣으세요.

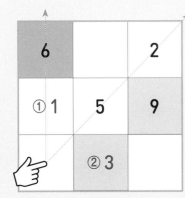

화살표로 표시한 두 줄의 합이 같으므로
①의 칸 수를 ☐라 하면

☐ + 6 = 2 + 5

☐ + 6 = 7

☐ = 1

(파란색 두 수의 합) = (빨간색 수) × 2이므로
②의 칸 수를 ■라 하면

■ + 9 = 6 × 2

■ + 9 = 12

■ = 3

앞에서 알아본 마방진의 수를 구하는 두 가지 방법을 이용하면 마방진을 모두 채울 수 있어.

❶

	9	
7	5	
		8

❷

4		
		1
2	7	

③

9		
4		8

④

8		
	5	
6		

⑤

15		11
5		

⑥

3		
	9	
7		

⑦

	2	
		14
		4

⑧

18		2
	6	

✎ 가로, 세로, 대각선에 놓인 세 수의 합이 모두 같도록 1부터 9까지의 수를 한 번씩 써넣어 만든 마방진입니다. 색칠된 칸에 알맞은 수를 써넣으세요.

❶

6		
	5	
8		

❷

4		8
2		

❸

	3	
1		

❹

	7	
8		

✎ 가로, 세로, 대각선에 있는 세 수의 합이 모두 같아지도록 빈칸에 알맞은 수를 써넣으세요.

❺

	9	
7		
6		8

❻

	5	
4		2

배치하기

✏️ 가장 앞에 선 학생부터 순서대로 쓰세요.

> • A, B, C, D가 한 줄로 서 있습니다.
>
> • A는 앞에서 두 번째에 서 있습니다.
>
> • B 뒤에는 1명의 친구만 서 있습니다.
>
> • C는 A 바로 앞에 서 있습니다.

조건을 차례대로
해결해 봐.

앞 C A B D **뒤**

세 번째 조건에서 B 뒤에는 1명의 친구만 서 있으므로 B는 앞에서 세 번째에 서 있습니다.
네 번째 조건에서 C는 A 바로 앞에 서 있으므로 C는 맨 앞에 서 있고, 그 다음에 A가 서 있습니다.
남은 D는 맨 뒤에 서 있습니다.

❶

> • A, B, C, D가 한 줄로 서 있습니다.
>
> • D는 맨 앞에 서 있습니다.
>
> • A는 B보다 뒤에 서 있고, C보다 앞에 서 있습니다.

앞 ☐ ☐ ☐ ☐ **뒤**

②

- A, B, C, D가 한 줄로 서 있습니다.
- A는 D보다 앞에 서 있고, B보다 뒤에 서 있습니다.
- C는 D보다 앞에 서 있고, A보다 뒤에 서 있습니다.

앞 ☐ ☐ ☐ ☐ 뒤

③

- A, B, C, D, E가 한 줄로 서 있습니다.
- E 바로 앞에 A가 서 있습니다.
- B 뒤에는 C만 서 있습니다.
- D와 B 사이에 두 명이 서 있습니다.

앞 ☐ ☐ ☐ ☐ ☐ 뒤

④

- A, B, C, D, E가 한 줄로 서 있습니다.
- C 바로 앞에 B가 서 있습니다.
- D 앞에는 2명이 서 있습니다.
- E는 B보다 뒤에 서 있고, A보다 앞에 서 있습니다.

앞 ☐ ☐ ☐ ☐ ☐ 뒤

◆ 줄을 선 전체 학생 수를 구해 보세요.

- 민주는 앞에서 두 번째에 서 있습니다.
- 효신이는 뒤에서 세 번째에 서 있습니다.
- 민주와 효신이 사이에 한 명이 서 있습니다.

6 명

앞 ○ (민주) (효신) ○ ○

앞 (민주) ○ (효신) 뒤

➡ 앞 ○ (민주) ○ (효신) ○ ○ 뒤
└──── 6명 ────┘

그림을 그려서 해결해 보도록 해.

❶
- 지윤이 뒤에는 두 명이 서 있습니다.
- 유인이는 맨 앞에 서 있고, 유인이와 지윤이 사이에 네 명이 서 있습니다.

명

❷

- 효정이는 앞에서 세 번째에 서 있습니다.
- 신우는 뒤에서 네 번째에 서 있습니다.
- 효정이와 신우 사이에 두 명이 서 있습니다.

◻ 명

❸

- 우석이는 앞에서 두 번째에 서 있습니다.
- 우석이와 찬민이 사이에 한 명이 서 있습니다.
- 영희는 맨 뒤에 있고, 영희와 찬민이 사이에 한 명이 서 있습니다.

◻ 명

❹

- 영호는 뒤에서 세 번째에 서 있습니다.
- 민규는 영호 바로 앞에 서 있습니다.
- 원정이는 맨 앞에 있고, 원정이와 민규 사이에 두 명이 서 있습니다.

◻ 명

✏️ 가장 앞에 선 학생부터 순서대로 쓰세요.

> • A, B, C, D가 한 줄로 서 있습니다.
> • A는 B보다 3 m 뒤에 서 있습니다.
> • C는 A보다 2 m 앞에 서 있습니다.
> • D는 B보다 1 m 앞에 서 있습니다.

선 위에 위치를 표시해 보면 돼.

앞 **D** **B** **C** **A** 뒤

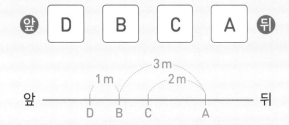

❶
> • A, B, C, D가 한 줄로 서 있습니다.
> • B는 A보다 6 m 뒤에 서 있습니다.
> • C는 D보다 4 m 앞에 서 있습니다.
> • D는 B보다 3 m 앞에 서 있습니다.

앞 ☐ ☐ ☐ ☐ 뒤

❷

- A, B, C, D, E가 한 줄로 서 있습니다.
- A는 B보다 6 m 앞에 서 있습니다.
- C는 B보다 3 m 뒤에 서 있습니다.
- D는 C보다 4 m 뒤에 서 있습니다.
- E는 D보다 5 m 앞에 서 있습니다.

앞 ⬚ ⬚ ⬚ ⬚ ⬚ 뒤

앞 ——————————————— 뒤

❸

- A, B, C, D, E가 한 줄로 서 있습니다.
- B는 C보다 8 m 앞에 서 있습니다.
- D는 C보다 3 m 뒤에 서 있습니다.
- D는 A보다 4 m 뒤에 서 있습니다.
- A는 E보다 7 m 앞에 서 있습니다.

앞 ⬚ ⬚ ⬚ ⬚ ⬚ 뒤

앞 ——————————————— 뒤

✏️ 학원, 마트, 꽃집, 병원, 서점, 문구점이 있습니다. 다음을 보고 빈 곳에 알맞은 가게의 이름을 써넣으세요.

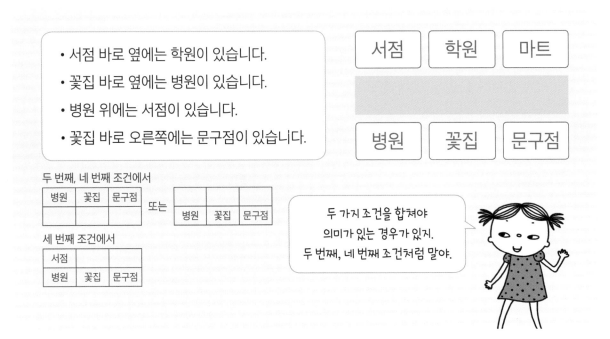

두 번째, 네 번째 조건에서

병원	꽃집	문구점

또는

병원	꽃집	문구점

세 번째 조건에서

서점		
병원	꽃집	문구점

두 가지 조건을 합쳐야
의미가 있는 경우가 있지.
두 번째, 네 번째 조건처럼 말야.

❶
• 학원과 병원은 가장 멀리 떨어져 있습니다.
• 마트 바로 왼쪽에는 학원이 있습니다.
• 꽃집 아래에는 학원이 있습니다.
• 문구점 바로 옆에는 병원이 있습니다.

❷
- 마트와 문구점은 횡단보도에서 가장 멉니다.
- 학원은 문구점 바로 오른쪽에 있고, 서점 아래쪽에 있습니다.
- 병원과 서점은 길을 건너지 않고 갈 수 있습니다.

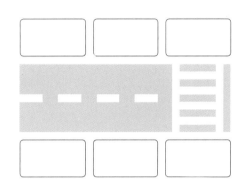

❸
- 건너편 가게를 가려면 횡단보도를 이용해야 합니다.
- 꽃집에서 문구점으로 가는 길이 가장 멉니다.
- 서점은 꽃집 바로 오른쪽에 있고, 병원은 문구점과 학원 사이에 있습니다.
- 마트는 도로 아래쪽에 있습니다.

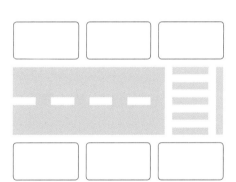

◆ A, B, C, D, E, F 6명이 원 모양의 탁자에 둘러앉아 있습니다. 물음에 답하세요.

< 원 모양의 탁자에 앉는 경우 >

1. 원 모양의 탁자는 의자의 위치보다 서로 상대적인 위치로 생각해야 합니다. 따라서 기준이 되는 한 명의 위치를 먼저 정합니다.

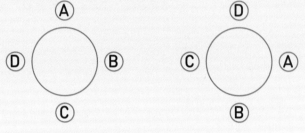

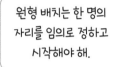

원형 배치는 한 명의 자리를 임의로 정하고 시작해야 해.

위의 두 경우는 서로 같습니다.

2. 탁자를 바라보고 앉으므로 왼쪽, 오른쪽 방향에 주의해야 합니다.
위의 그림에서 A의 왼쪽은 B이고, 오른쪽은 D입니다.

❶

- A와 B는 마주 보고 있습니다.
- C의 바로 왼쪽에 A가 있습니다.
- D의 양 옆에는 A와 E가 있습니다.

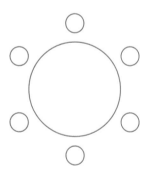

C와 마주 보고 있는 사람은 누구입니까?

❷

- **A**의 왼쪽으로 한 칸 건너에 **C**가 있습니다.
- **D**와 **F**는 마주 보고 있습니다.
- **B**는 **C**와 **D** 사이에 있습니다.

A의 바로 왼쪽에 있는 사람은 누구입니까?

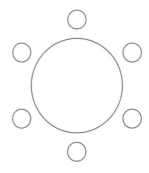

❸

- **B**의 오른쪽으로 한 칸 건너에 **F**가 있습니다.
- **C**의 바로 옆에 **E**가 있습니다.
- **E**의 바로 왼쪽에 **A**가 있습니다.

B와 마주 보고 있는 사람은 누구입니까?

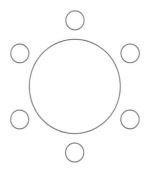

🖋 은행, 안경점, 꽃집, 편의점, 서점, 세탁소가 있습니다. 다음을 보고 빈 곳에 알맞은 가게의 이름을 써넣으세요.

 ❶

- 편의점과 서점이 횡단보도에서 가장 가깝습니다.
- 은행은 세탁소 오른쪽에 있고, 꽃집은 서점 바로 왼쪽에 있습니다.
- 안경점은 도로 위쪽에 있습니다.

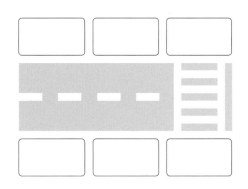

🖋 A, B, C, D, E, F, G, H 8명이 원 모양의 탁자에 둘러앉아 있습니다. 물음에 답하세요.

❷

- A와 H는 서로 마주 보고 있고 H 오른쪽에 E가 앉아 있습니다.
- G의 오른쪽으로 한 칸 건너에 A가 앉아 있습니다.
- B는 C와 H 사이에 앉아 있습니다.
- B와 D는 서로 마주 보고 있습니다.

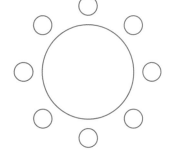

E와 마주 보고 있는 사람은 누구입니까?

마무리 평가

마무리 평가는 앞에서 공부한 4주차의 유형이 다음과 같은 순서로 나와요.
틀린 문제는 몇 주차인지 확인하여 반드시 다시 한 번 학습하도록 해요.

1주차	3주차
2주차	4주차

✣ 출발점에서 폭탄을 피해 모든 방을 한 번씩 지나 도착점까지 가는 길을 그려 보세요.

❶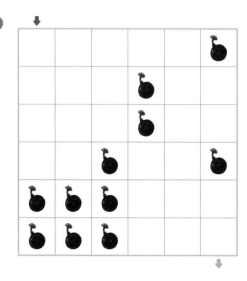

❷

✣ 선으로 연결된 ◯ 안에 연속된 수가 들어가지 않도록 수를 한 번씩 써넣으세요.

❸
1부터 5까지의 수

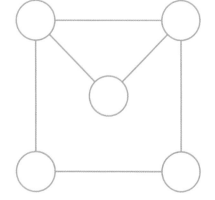

❹
1부터 7까지의 수

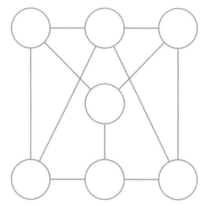

✿ 가로, 세로, 대각선에 놓인 세 수의 합이 모두 같도록 1부터 9까지의 수를 한 번씩 써넣어 만든 마방진입니다. 색칠된 칸에 알맞은 수를 써넣으세요.

❺

8		
3		
		2

❻

	9	
	5	
		6

✿ A, B, C, D, E, F, G, H 8명이 원 모양의 탁자에 둘러앉아 있습니다. 물음에 답하세요.

❼

- A와 G는 서로 마주 보고 있고, A의 오른쪽에 D가 앉아 있습니다.
- B는 E와 H 사이에 앉아 있습니다.
- F와 E는 서로 마주 보고 있습니다.

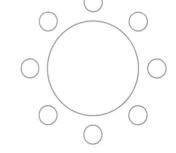

B와 마주 보고 있는 사람은 누구입니까? ☐

✤ 같은 도형끼리 선을 이으세요. 단, 선은 서로 겹치지 않고 모든 칸을 지나야 합니다.

❶
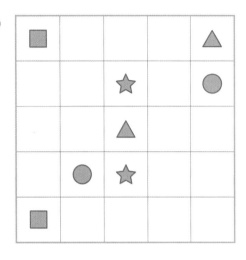

❷
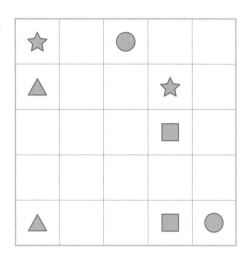

✤ 선으로 연결된 ◯ 안의 수의 합을 ▢ 안에 써넣으세요.

❸
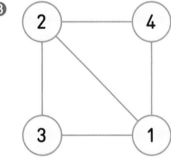

 ① ➡ ▢   ② ➡ ▢

 ③ ➡ ▢   ④ ➡ ▢

❹
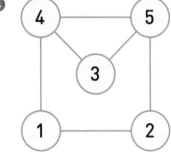

① ➡ ▢   ② ➡ ▢

③ ➡ ▢   ④ ➡ ▢

⑤ ➡ ▢

✤ 한 줄에 있는 세 수의 합이 ◯ 안의 수가 되도록 다음 수를 한 번씩 써넣으세요.

❺ 3, 6, 9, 12, 15

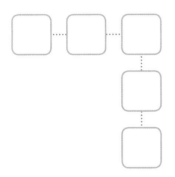

(24)

(27)

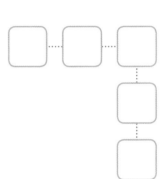

(30)

✤ 줄을 선 전체 학생 수를 구해 보세요.

❻
- 찬원이는 뒤에서 세 번째에 서 있습니다.
- 인수는 앞에서 두 번째에 서 있습니다.
- 인수와 찬원이 사이에 한 명이 있습니다.

◻ 명

✤ 모든 칸에 선이 한 번씩 지나가도록 글자 순서대로 차례로 이어 보세요.

①

동해물과 백두산이

이	두			
			백	
			해	
산		동		
	물			
				과

②

3학년 1반 7번

년		반		
		1	7	
		학	번	
				3

✤ 가로 또는 세로로 연속된 수가 들어가지 않도록 1부터 9까지의 수를 한 번씩 써넣으세요.

③

1	9	4
	5	
		2

④

7		4
	6	8
1		

♣ 한 줄에 있는 세 수의 합이 ☐ 안의 수가 되도록 1부터 6까지의 수를 한 번씩 써넣으세요.

❺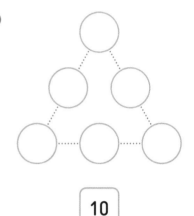

10

❻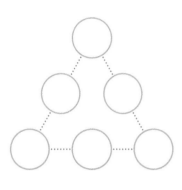

12

♣ A, B, C, D, E가 한 줄로 서 있습니다. 가장 앞에 선 학생부터 순서대로 쓰세요.

❼

> • A는 B보다 앞에 서 있고 C보다 뒤에 서 있습니다.
>
> • C는 D보다 앞에 서 있고, E보다 뒤에 서 있습니다.
>
> • D 뒤에 1명이 서 있습니다.

앞   뒤

✿ 같은 수끼리 선을 이으세요. 단, 선은 서로 겹치지 않고 모든 칸을 지나야 합니다.

❶

1	3			2	
					3
	4	5			
		1	4		
5					2

❷

1					3
2				4	
				3	
	2				
5	1				
				5	4

✿ 선으로 연결된 ◯ 안의 수의 합이 ☐ 안의 수입니다. ◯ 안에 알맞은 수를 써넣으세요.

❸

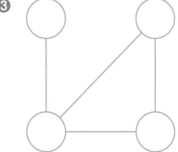

1	➡	2		2	➡	8
3	➡	6		4	➡	5

❹

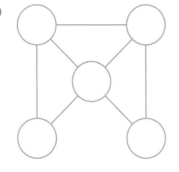

1	➡	14		2	➡	10
3	➡	5		4	➡	6
5	➡	3				

✿ 가로, 세로, 대각선에 놓인 세 수의 합이 모두 같도록 1부터 9까지의 수를 한 번씩 써넣어 만든 마방진입니다. 색칠된 칸에 알맞은 수를 써넣으세요.

❺

	7	
		1

❻

6		
	3	

✿ A, B, C, D, E가 한 줄로 서 있습니다. 가장 앞에 선 학생부터 순서대로 쓰세요.

❼

- A, B, C, D, E가 한 줄로 서 있습니다.
- E는 C보다 7 m 앞에 서 있습니다.
- D는 C보다 3 m 뒤에 서 있습니다.
- D는 A보다 5 m 뒤에 서 있습니다.
- B는 E보다 9 m 뒤에 서 있습니다.

앞   뒤

앞 ———————————— 뒤

✤ ◯ 안의 수만큼 칸을 지나 도착점까지 선을 그어 보세요. 가로 또는 세로로만 선을 그을 수 있고, 한 번 지나간 칸은 다시 지날 수 없습니다.

❶

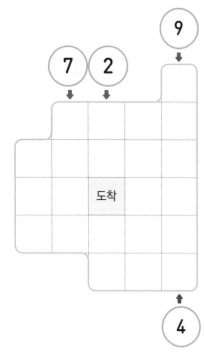

❷

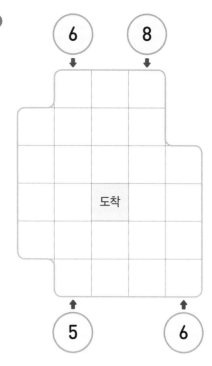

✤ ◯ 안의 수는 연결된 선의 개수입니다. ◯ 안의 수에 맞게 선을 그어 보세요.

❸

2   3

3   2

❹

5

2   2

3   3

5

✤ 가로, 세로, 대각선에 있는 세 수의 합이 모두 같아지도록 빈칸에 알맞은 수를 써넣으세요.

❺

7		
	9	
15		

❻

	14	
		18
		8

✤ 은행, 안경점, 꽃집, 편의점, 서점, 세탁소가 있습니다. 다음을 보고 빈 곳에 알맞은 가게의 이름을 써넣으세요.

❼

- 은행과 안경점은 가장 멀리 떨어져 있습니다.
- 편의점 바로 오른쪽에는 서점이 있습니다.
- 세탁소 아래에는 편의점이 있습니다.
- 은행 바로 옆에는 편의점이 있습니다.

pensées

'사고력수학의 시작'

팡세

pensées

C2
정답과 풀이

사고가 자라는 수학
씨투엠

네이버 공식 지원 카페 필즈엠

씨투엠에듀 공식 인스타그램

C2MEDU_OFFICIAL

'사고력수학의 시작'

과정

C2

정답과 풀이

1주차

길 찾기 퍼즐

DAY 1

빈틈없는 길

✎. 출발점에서 폭탄을 피해 모든 방을 한 번씩 지나 도착점까지 가는 길을 그려 보세요.

가로 또는 세로로만
지나갈 수 있고
한 번 지나간 방은
다시 지나갈 수 없어.

①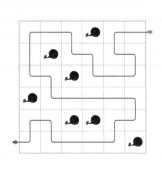

②

③

④ 보기

⑤

⑥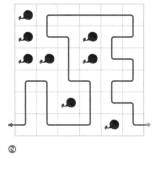

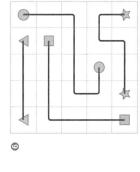

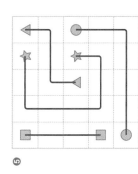

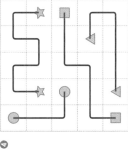

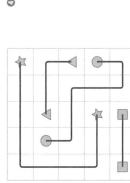

pensées

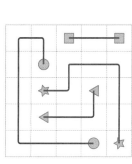

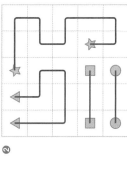

이 외에도 여러 가지 방법이 있습니다.

DAY 2

같은 모양 잇기

같은 도형끼리 선을 이으세요. 단, 선은 서로 겹치지 않고 모든 칸을 지나야 합니다.

위의 그림과 같이 ●를 연결하면
☆를 연결할 수 없습니다.

연결할 수 없는 도형이
생기지 않도록 조심!

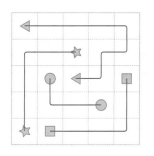

모든 칸에 선이 한 번만 지나가고, 다른 선과 만나지 않도록 선을 이어 봅니다.

이 외에도 여러 가지 방법이 있습니다.

1주차

길 찾기 퍼즐

DAY 3

이어지 않는 선

✏️ 같은 수끼리 선을 이으세요. 단, 선은 서로 겹치지 않고 모든 칸을 지나야 합니다.

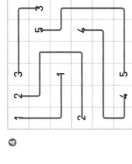

위의 그림과 같이 1을 연결하면
2, 3, 5를 연결할 수 없습니다.

서행착오를 하면서
답을 찾아야 해.
지우개는 필수

이 외에도 여러 가지 방법이 있습니다.

①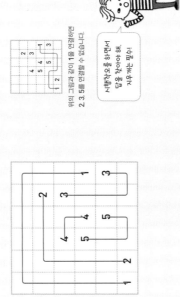

②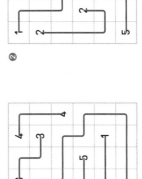

pensées

③

④

⑤

⑥

pensées

DAY 4 순서대로 빠짐없이

◈ 모든 칸에 선이 한 번씩 지나가도록 글자 순서대로 이어 보세요.

글자 순서대로 지나가도록 끝에서 끝까지 이어요.

바다에 가고 싶어요

① 가나다라마바사아

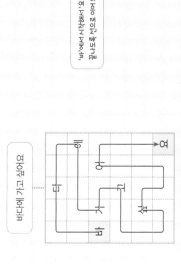

ABCDEFGH

②

나는 만화가 좋아요

④

잠자는 숲속의 공주

③

월화수목금토일

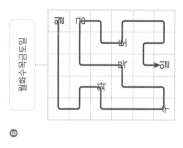
⑥

할머니 사랑해요

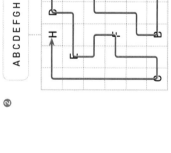
⑤

기 찾기 퍼즐

DAY 5

칸 수에 맞게 선 잇기

○ 안의 수만큼 칸을 지나 도착점까지 선을 그어 보세요. 가로 또는 세로로만 선을 그을 수 있고, 한 번 지나간 칸은 다시 지날 수 없습니다.

모든 칸에 선이 지나가야 하고
모두 도착점에 모여야 해.

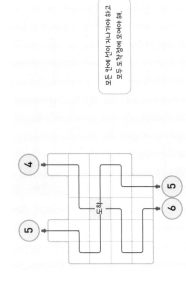

❶

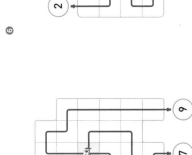

❷

pensées

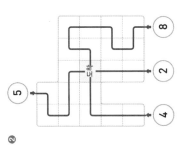

❹

❻

❸

❺

확인학습

✏️ 모든 칸에 선이 한 번씩 지나가도록 글자 순서대로 이어 보세요.

① 항상 행복한 우리 집

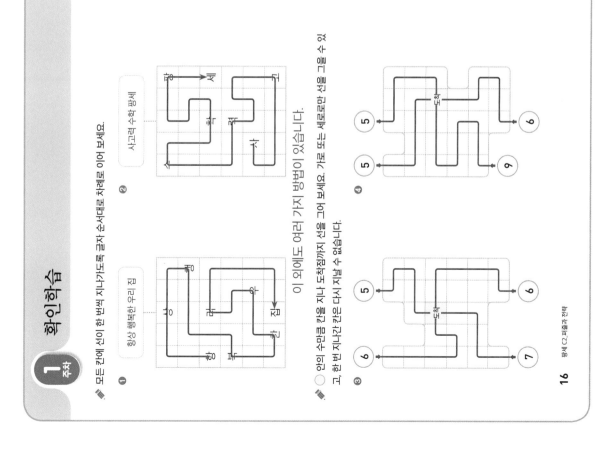

② 사고력 수학 팔세

이 외에도 여러 가지 방법이 있습니다.

✏️ 안의 수만큼 칸을 지나 도착점까지 선을 그어 보세요. 가로 또는 세로로만 선을 그을 수 있고, 한 번 지나간 칸은 다시 지날 수 없습니다.

③

④

2주차 수 세기 퍼즐

DAY 1

수 배치 퍼즐

가로 또는 세로로 연속된 수가 들어가지 않도록 1부터 9까지의 수를 한 번씩 써넣으세요.

> 연속된 수는 1과 2, 2와 3, ……과 같이 바로 붙어 있는 수를 말해.

3과 연속된 수는 2와 4이므로 2, 4는 들어올 수 없습니다.

5	8	6
2	4	1
9	7	3

남은 수를 먼저 알아본 후 가로 또는 세로로 연속된 수가 들어가지 않도록 비어 있는 칸을 채웁니다.

❶
4	1	9
6	3	7
8	5	2

❷
7	1	4
2	5	9
6	8	3

---

pensées

또는
1	7	2
5	3	9
8	6	4

❸
2	6	8
7	3	1
5	9	4

❹
1	9	2
5	3	7
8	6	4

❺
2	9	5
4	6	1
7	3	8

❻
4	8	2
7	5	9
1	3	6

❼
9	7	4
2	5	1
8	3	6

❽
9	6	1
2	4	8
5	7	3

DAY 2

선으로 연결된 수

✏️ 선으로 연결된 ○ 안에 연속된 수가 들어가지 않도록 수를 한 번씩 써넣으세요.

1부터 5까지의 수

1과 5를 어느 칸에 넣을지 먼저 생각해봐.

연결된 선이 3개로 가장 많습니다.

연속한 수가 하나 밖에 없는 처음 수 1과 마지막 수 5를 연결된 선이 가장 많은 ○ 안에 넣습니다.

이 외에도 여러 가지 방법이 있습니다.

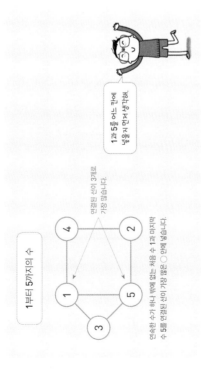

❶ 1부터 4까지의 수

❷ 1부터 6까지의 수

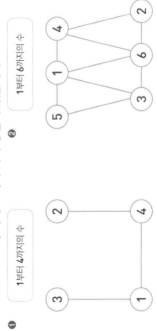

❸ 1부터 7까지의 수

❹ 1부터 7까지의 수

❺ 1부터 8까지의 수

❻ 1부터 8까지의 수

이 외에도 여러 가지 방법이 있습니다.

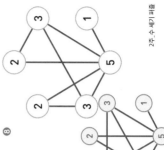

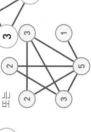

2주차 수 세기 퍼즐

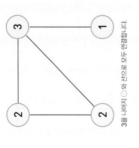

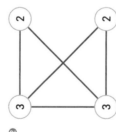

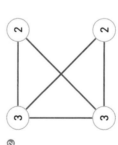

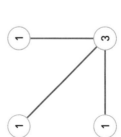

pensées

DAY 3 다리 놓기 퍼즐

○ 안의 수는 연결된 선의 개수입니다. ○ 안의 수에 맞게 선을 그어 보세요.

가장 큰 수가 적힌
○ 부터 선을 그어 봐.

3줄 나머지 ○여 선으로 모두 연결합니다.

모는

모는

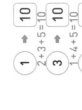

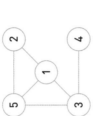

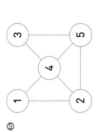

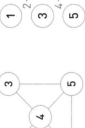

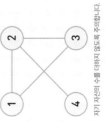

DAY 4

선으로 연결된 수의 합

✏. 선으로 연결된 ○ 안의 수의 합을 □ 안에 써넣으세요.

1과 선으로 연결된 수는
2와 3이니까 □ 안에는
2+3=5가 들어가.

2+3=5
1+2=3
1+3+4=8

자기 자신의 수를 더하지 않도록 주의합니다.

❶
2+4=6
2+4=6
1+3+4=8
1+2+3=6

❷
2+4=6
2+4=6
1+3=4
1+3=4

③
2+4+5=11
4+5=9
1+3=4

④
2+3+5=10
1+4+5=10
1+2+3=6

⑤
2+4=6
4+5=9
2+3+4=9

1+5=6

1+4+5=10
1+2+3+5=11

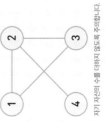

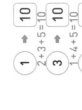

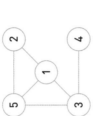

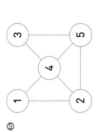

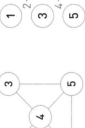

2주차 수 세기 퍼즐

DAY 5

라인 썸 퍼즐

✏️ 선으로 연결된 ○ 안의 수의 합이 ☐ 안의 수입니다. ○ 안에 알맞은 수를 써넣으세요.

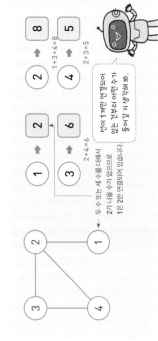

두 수 또는 세 수를 더해서 2가 나올 수가 없으므로 1은 2만 연결되어 있습니다.

선이 1개만 연결되어 있는 경우부터 어떤 수가 들어갈지 생각해 봐.

2+4=6

2+3=5
1+3+4=8

❶ 1+2=3
2+3+4=9
4가 들어갈 위치부터 읽어봅니다.

❷ 1+4=5
2+3=5
2가 들어갈 위치부터 읽어봅니다.

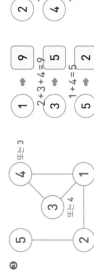

❸
또는 3
또는 4
1+4=5
2+3+4=9
5가 들어갈 위치부터 읽어봅니다.
1+5=6
1+3=4

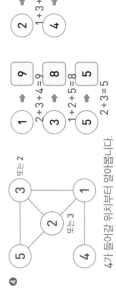

❹
또는 2
또는 3
2+3=5
2+3+4=9
1+2+5=8
4가 들어갈 위치부터 읽어봅니다.
1+3+5=9
2+5=7

❺
또는 4
또는 5
또는 3
또는 1
2+3+5=10
1+2=3
1+2+4=7
1+3+4+5=13

가운데의 ○는 남은 4개와 모두 연결되어 있습니다. 2를 제외한 나머지 네 수의 합은 1+3+4+5=13이므로 가운데에 ○에는 2가 들어갑니다.

확인학습

○ 안의 수는 연결된 선의 개수입니다. ○ 안의 수에 맞게 선을 그어 보세요.

❶

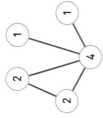

❷

❷ 선으로 연결된 ○ 안의 수의 합이 □ 안의 수입니다. ○ 안에 알맞은 수를 써넣으세요.

❸

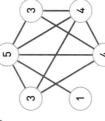

또는 2

또는 4

30이 들어갈 위치부터 읽어봅니다.

1 → 9
2 + 3 + 4 = 9
3 → 1

1 → 5
1 + 4 = 5
4 → 3
1 + 2 = 3

2 → 5

❹

또는 2

또는 3

1이 들어갈 위치부터 읽어봅니다.

1 → 4
4 + 5 = 9
3 → 9
4 + 5 = 9
5 → 5
2 + 3 = 5

2 → 9
4 + 5 = 9
4 → 6
1 + 2 + 3 = 6

DAY 1

삼각 모양 방진

한 줄에 있는 세 수의 합이 □ 안의 수가 되도록 1부터 7까지의 수를 한 번씩 써넣으세요.

합이 10이 되도록 다른 세 수의 덧셈식을 모두 나타내 봐. 덧셈식은 3개 필요해.

❶

1+2+7=10, 1+3+6=10, 1+4+5=10, 2+3+5=10
이 중에서 세 번째 나온 수는 10이므로 3을 가운데에 씁니다.

이 외에도 여러 가지 방법이 있습니다.

❷

1+4+7=12, 1+5+6=12,
2+3+7=12, 2+4+6=12,
3+4+5=12
이 중에서 세 번째 나온 수는 40이므로
4를 가운데에 씁니다.

❷

1+6+7=14, 2+5+7=14,
3+4+7=14, 3+5+6=14
이 중에서 세 번째 나온 수는 70이므로
7을 가운데에 씁니다.

공부해 C2 퍼즐과 전략

---

pensées

한 줄에 있는 세 수의 합이 □ 안의 수가 되도록 1부터 6까지의 수를 한 번씩 써넣으세요.

❸

9

1+2+6=9, 1+3+5=9,
2+3+4=9
두 번 나온 수 1, 2, 3을 삼각형 모양의 ○안에 씁니다.

❹

10

1+3+6=10, 1+4+5=10,
2+3+5=10
두 번 나온 수 1, 3, 5를 삼각형 모양의 ○안에 씁니다.

❺

11

1+4+6=11, 2+3+6=11,
2+4+5=11
두 번 나온 수 2, 4, 6을 삼각형 모양의 ○안에 씁니다.

❻

12

1+5+6=12, 2+4+6=12,
3+4+5=12
두 번 나온 수 4, 5, 6을 삼각형 모양의 ○안에 씁니다.

이 외에도 여러 가지 방법이 있습니다.

DAY 2

알파벳 모양 방진

✏. 한 줄에 있는 세 수의 합이 ◯ 안의 수가 되도록 다음 수를 한 번씩 써넣으세요.

1부터 5까지의 수

[2] [5] [4]
[1] [5] [3] (10)

1+4+5=10, 2+3+5=10이므로
두 번 나온 수 5를 가운데에 씁니다.

이 외에도 여러 가지 방법이 있습니다.

1부터 5까지의 수

① [2] [5] [1]
[1] [3] [4] (8)

1+2+5=8,
1+3+4=8

[1] [5] [3]
[3] [2] [4] (9)

1+3+5=9,
2+3+4=9

[1] [4] [5]
[5] [2] [3] (10)

1+4+5=10,
2+3+5=10

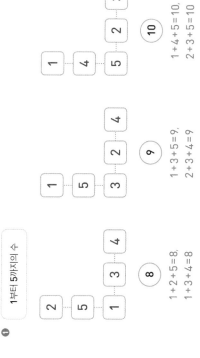

합이 10이 되는
서로 다른 세 수의 덧셈식을
모두 나타내 봐.

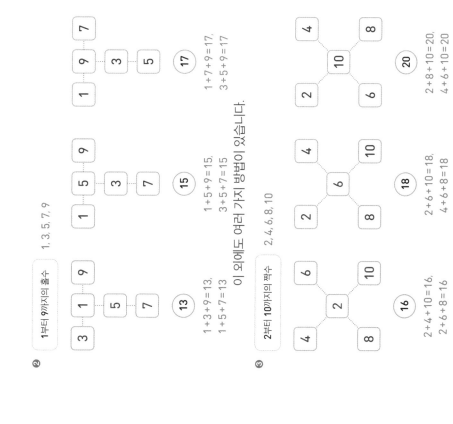

② 1부터 9까지의 홀수   1, 3, 5, 7, 9

[3] [1] [9]
[5] [1] [9] [7]
[7] [3] [5]
(13) (15) (17)

1+3+9=13,   1+5+9=15,   1+7+9=17,
1+5+7=13   3+5+7=15   3+5+9=17

이 외에도 여러 가지 방법이 있습니다.

③ 2부터 10까지의 짝수   2, 4, 6, 8, 10

[4] [6] [4] [4]
[8] [2] [4] [2]
[4] [8] [10] [6]
(16) (18) (20)

2+4+10=16,   2+6+10=18,   2+8+10=20,
2+6+8=16   4+6+8=18   4+6+10=20

pensées

DAY 3

마방진의 한 수 (1)

◆ 마방진은 가로, 세로, 대각선에 놓인 수들의 합이 같도록 수를 배열한 것입니다. 다음 마방진에서 색칠된 칸에 알맞은 수를 써넣으세요.

4	9	6
		7

공통된 칸의 수는 몰라도 색칠된 칸의 수는 알 수 있어.

화살표로 표시한 줄의 합을 이용합니다.
색칠된 칸의 수를 □라 하고,
손가락으로 공통된 칸의 수를 가리면
□+6=4+9
□=7

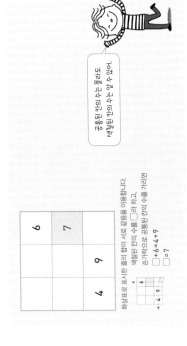

① 색칠된 칸의 수를 □라 하고, 손가락으로 공통된 칸의 수를 가리면
□+8=4+5
□=1

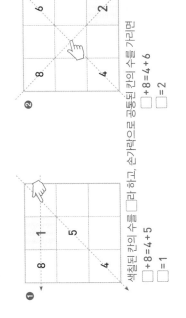

② □+8=4+6
□=2

③ □+7=9+1
□=3

④

⑤ □+2=5+6
□=9

⑥ □+3=2+5
□=4

⑦ □+7=8+1
□=2

⑧ □+4=7+5
□=8

색칠된 칸의 수를 □라 하고, 손가락으로 공통된 칸의 수를 가리면

pensées

DAY 4 마방진의 한 수 (2)

마방진 안에 있는 수의 합은 1+2+3+……+9=45입니다.
한 줄의 합은 모두 같으므로 45÷3=15입니다.

가운데 수를 구해 봅시다. 가운데 수를 □라 하면
(네 줄의 수의 합)=(가운데 칸의 수)×3+1+2+3+……+9
15+15+15+15=□+□+1+2+3+……+9
60=□+□+45
□=5
따라서 가운데 수는 5입니다.

이제 (빨간색 수)×2=(파란색 두 수의 합)임을 확인해 봅시다.
☆+5+♡=15이므로 ☆+♡=10

그리고 ■+5=☆+▲
■+5=●+♡ 이므로 두 식을 변끼리 더하면
■+5+5=☆+▲+●+♡
■+5+10=▲+●+10
■+5=▲+●

따라서 (빨간색 수)×2=(파란색 두 수의 합)입니다.

①
| 7 | | 1 |
| 1 | | 4 |

색칠된 칸의 수를 □라 하면
□×2=1+7
□×2=8
□=4

②
| 6 | | 9 |
| | 3 | |

색칠된 칸의 수를 □라 하면
□×2=3+9
□×2=12
□=6

③
| | 3 | 1 |
| 2 | | |

④
| 9 | | 8 |
| | 7 | |

⑤
| | 1 | 2 |
| 3 | | |

색칠된 칸의 수를 □라 하면
□×2=1+3
□×2=4, □=2

⑥
| | 1 | |
| 4 | | |

색칠된 칸의 수를 □라 하면
□×2=7+9
□×2=16, □=8

⑦
| 9 | | 2 |
| 6 | 3 | |

색칠된 칸의 수를 □라 하면
□×2=3+
4=3+ , □=1

⑧
| 7 | | 9 |
| 8 | | |

색칠된 칸의 수를 □라 하면
4×2=1+
8=1+ , =7

색칠된 칸의 수를 □라 하면
8×2=9+
16=9+ , =7

색칠된 칸의 수를 □라 하면
6×2=9+
12=9+ , =3

pensées

DAY 5

마방진 채우기

✏️ 가로, 세로, 대각선에 있는 세 수의 합이 모두 같아지도록 빈칸에 알맞은 수를 써넣으세요.

화살표로 표시한 두 칸의 합이 같으므로
①의 칸의 수를 □라 하면
□+6=2+5
□+6=7
□=1

(한 변에 두 수의 합)=(빨간색 수)×2이므로
②의 칸 수를 ■라 하면
■+9=6×2
■+9=12
■=3

앞에서 알아본 마방진에서의 수를 구하는 두 가지 방법을 이용하면 마방진을 모두 채울 수 있어.

6		2
①1	5	9
	②3	

❶
2	9	4
7	5	3
6	1	8

❷
4	3	8
9	5	1
2	7	6

앞에서 배운 마방진의 한 수 2가지 방법을 사용하여
먼저 채울 수 있는 칸을 찾습니다.

❸
2	7	6
9	5	1
4	3	8

❹
8	3	4
1	5	9
6	7	2

❺
15	1	11
5	9	13
7	17	3

❻
3	13	11
17	9	1
7	5	15

❼
16	2	12
6	10	14
8	18	4

❽
4	14	12
18	10	2
8	6	16

확인학습

가로, 세로, 대각선에 놓인 세 수의 합이 모두 같도록 1부터 9까지의 수를 한 번씩 써넣어 만드는 마방진입니다. 색칠된 칸에 알맞은 수를 써넣으세요.

①
6	7	
	5	
8		

색칠된 칸의 수를 □라 하면
□+6=5+8, □=7

②
	4	
		8
	2	6

색칠된 칸의 수를 □라 하면
□+4=2+8, □=6

③
	3	
1		
		2

색칠된 칸의 수를 □라 하면
□×2=1+3, □=2

④
7		9
8		

색칠된 칸의 수를 □라 하면
8×2=7+□, □=9

가로, 세로, 대각선에 있는 세 수의 합이 모두 같아지도록 빈칸에 알맞은 수를 써넣으세요.

⑤
2	9	4
7	5	3
6	1	8

⑥
8	1	6
3	5	7
4	9	2

4주차 배치하기

DAY 1

순서 정하기

◆ 가장 앞에 선 학생부터 순서대로 쓰세요.

【보기】
• A, B, C, D가 한 줄로 서 있습니다.
• A는 앞에서 두 번째에 서 있습니다.
• B 뒤에는 1명의 친구만 서 있습니다.
• C는 A 바로 앞에 서 있습니다.

조건을 차례대로 해결해 봐.

답 앞 [C] [A] [B] [D] 뒤

세 번째 조건에서 B 뒤에는 1명의 친구만 서 있으므로 B는 앞에서 세 번째에 서 있습니다.
네 번째 조건에서 C는 A 바로 앞에 서 있으므로 C는 맨 앞에 서 있고, 그 다음에 A가 서 있습니다.
남은 D는 맨 뒤에 서 있습니다.

①
• A, B, C가 한 줄로 서 있습니다.
• D는 맨 앞에 서 있습니다.
• A는 B보다 뒤에 서 있고, C보다 앞에 서 있습니다.

답 앞 [D] [B] [A] [C] 뒤

세 번째 조건에서 B, A, C의 순서대로 서 있습니다.
따라서 가장 앞에 선 학생부터 순서대로 쓰면 D, B, A, C입니다.

②
• A, B, C, D가 한 줄로 서 있습니다.
• A는 D보다 앞에 서 있고, B보다 뒤에 서 있습니다.
• C는 D보다 앞에 서 있고, A보다 뒤에 서 있습니다.

답 앞 [B] [A] [C] [D] 뒤

두 번째 조건에서 B, A, D의 순서대로 서 있습니다.
세 번째 조건에서 A, C, D의 순서대로 서 있습니다.
따라서 가장 앞에 선 학생부터 순서대로 쓰면 B, A, C, D입니다.

③
• A, B, C, D, E가 한 줄로 서 있습니다.
• E 바로 앞에 A가 서 있습니다.
• B 뒤에는 C만 서 있습니다.
• D와 B 사이에 두 명이 서 있습니다.

답 앞 [D] [A] [E] [B] [C] 뒤

두 번째 조건에서 A, E의 순서대로 서 있습니다. 이때 A, E 사이에는 아무도 없습니다.
세 번째 조건에서 B는 네 번째, C는 다섯 번째에 서 있습니다.
네 번째 조건에서 D가 맨 앞에 서 있습니다.
따라서 가장 앞에 선 학생부터 순서대로 쓰면 D, A, E, B, C입니다.

④
• A, B, C, D, E가 한 줄로 서 있습니다.
• C 바로 앞에 B가 서 있습니다.
• D 앞에는 2명이 서 있습니다.
• E는 B보다 뒤에 서 있고, A보다 앞에 서 있습니다.

답 앞 [B] [C] [D] [E] [A] 뒤

두 번째 조건에서 B, C의 순서대로 서 있습니다. 이때 B, C 사이에는 아무도 없습니다.
세 번째 조건에서 D는 세 번째에 서 있습니다.
네 번째 조건에서 B, E, A의 순서대로 서 있습니다.
따라서 가장 앞에 선 학생부터 순서대로 쓰면 B, C, D, E, A입니다.

pensées

DAY 2 전체 수

📝 줄을 선 전체 학생 수를 구해 보세요.

①
- 민주는 앞에서 두 번째에 서 있습니다.
- 효신이는 뒤에서 세 번째에 서 있습니다.
- 민주와 효신이 사이에 한 명이 서 있습니다.

[민주] [효신]
6명

> 그림으로 나타내면 쉽게 구할 수 있어.

⑧
- 지윤이 뒤에는 두 명이 서 있습니다.
- 윤인이는 맨 앞에 서 있고, 윤인이와 지윤이 사이에 네 명이 서 있습니다.

[윤인] [지윤]
8명

②
- 효정이는 앞에서 세 번째에 서 있습니다.
- 신우는 뒤에서 네 번째에 서 있습니다.
- 효정이와 신우 사이에 두 명이 서 있습니다.

[효정] [신우]
9명

③
- 우석이는 앞에서 두 번째에 서 있습니다.
- 우석이와 천민이 사이에 한 명이 서 있습니다.
- 영희는 맨 뒤에 있고, 영희와 천민이 사이에 한 명이 서 있습니다.

[우석] [천민] [영희]
6명

④
- 영호는 뒤에서 세 번째에 서 있습니다.
- 민규는 영호 바로 앞에 서 있습니다.
- 원정이는 맨 앞에 있고, 원정이와 민규 사이에 두 명이 서 있습니다.

[원정] [민규] [영호]
7명

9
6
7

4주차 배치하기

DAY 3

거리와 순서

✏️ 가장 앞에 선 학생부터 순서대로 쓰세요.

• A, B, C, D가 한 줄로 서 있습니다.
• A는 B보다 3 m 뒤에 서 있습니다.
• C는 A보다 2 m 앞에 서 있습니다.
• D는 B보다 1 m 앞에 서 있습니다.

앞 [D] [B] [C] [A] 뒤

앞 D ─1m─ B ─2m─ C 뒤
      └─3m─┘

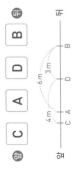
선 위에 위치를 표시해 보면 돼!

①

• A, B, C, D가 한 줄로 서 있습니다.
• B는 A보다 6 m 뒤에 서 있습니다.
• C는 D보다 4 m 앞에 서 있습니다.
• D는 B보다 3 m 앞에 서 있습니다.

앞 [C] [A] [D] [B] 뒤

앞 C ─4m─ A ─ D ─3m─ B 뒤
            └─6m─┘

②

• A, B, C, D, E가 한 줄로 서 있습니다.
• A는 B보다 6 m 앞에 서 있습니다.
• C는 B보다 3 m 뒤에 서 있습니다.
• D는 C보다 4 m 뒤에 서 있습니다.
• E는 D보다 5 m 앞에 서 있습니다.

앞 [A] [B] [E] [C] [D] 뒤

앞 A ─6m─ B ─3m─ C ─ E ─ D 뒤
                  ├─5m─┤
                  └─4m─┘

③

• A, B, C, D, E가 한 줄로 서 있습니다.
• B는 C보다 8 m 앞에 서 있습니다.
• D는 C보다 3 m 뒤에 서 있습니다.
• D는 A보다 4 m 뒤에 서 있습니다.
• A는 E보다 7 m 앞에 서 있습니다.

앞 [B] [A] [C] [D] [E] 뒤

앞 B ─8m─ A ─ C ─3m─ D ─ E 뒤
            ├─4m─┤
            └──7m──┘

DAY 4

가로, 세로 배치

학원, 마트, 꽃집, 병원, 서점, 문구점이 있습니다. 다음을 보고 빈 곳에 알맞은 가게의 이름을 써넣으세요.

서점 　학원 　마트
병원 　꽃집 　문구점

- 서점 바로 옆에는 학원이 있습니다.
- 꽃집 바로 옆에는 병원이 있습니다.
- 병원 위에는 서점이 있습니다.
- 꽃집 바로 오른쪽에는 문구점이 있습니다.

두 가지 조건을 합쳐야 의미가 있는 경우가 있지. 두 번째, 네 번째 조건처럼 말이야.

두 번째, 네 번째 조건에서

병원	꽃집	마트	문구점

또는

병원	꽃집	문구점

세 번째 조건에서

서점		
병원	꽃집	문구점

①

꽃집 　문구점 　병원
학원 　마트 　서점

- 학원과 병원은 가장 멀리 떨어져 있습니다.
- 마트 바로 왼쪽에는 학원이 있습니다.
- 꽃집 아래에는 학원이 있습니다.
- 문구점 바로 아래에는 병원이 있습니다.

첫 번째, 두 번째 조건에서

학원	마트	병원

또는

학원	마트	

세 번째, 네 번째 조건에서

꽃집	문구점	
학원		병원

②

마트 　서점 　병원
문구점 　학원 　꽃집

- 마트와 문구점은 횡단보도에서 가장 멉니다.
- 학원은 문구점 바로 오른쪽에 있고, 서점 아래쪽에 있습니다.
- 병원과 서점은 길을 건너지 않고 갈 수 있습니다.

첫 번째, 두 번째 조건에서

마트	서점	학원
문구점	서점	학원

세 번째 조건에서

마트	서점	학원
문구점	서점	학원

③

문구점 　병원 　학원
꽃집 　서점 　마트

- 건너편 가게를 가려면 횡단보도를 이용해야 합니다.
- 꽃집에서 문구점으로 가는 길이 가장 깁니다.
- 서점은 꽃집 바로 오른쪽에 있고, 병원은 문구점과 학원 사이에 있습니다.
- 마트는 도로 아래쪽에 있습니다.

첫 번째, 두 번째 조건에서

문구점	
꽃집	

또는

꽃집	문구점

세 번째 조건에서

꽃집	병원	서점
문구점	병원	학원

4주차 배치하기

DAY 5

원형 배치

✎ A, B, C, D, E, F 6명이 원 모양의 탁자에 둘러앉아 있습니다. 물음에 답하세요.

<원 모양의 탁자에 앉는 경우>

1. 원 모양의 탁자는 의자의 위치보다 서로 상대적인 위치로 생각해야 합니다. 따라서 기준이 되는 한 명의 위치를 먼저 정합니다.

위의 두 경우는 서로 같습니다.

2. 탁자를 바라보고 앉으므로 왼쪽, 오른쪽 방향에 주의해야 합니다. 위의 그림에서 A의 왼쪽은 B이고, 오른쪽은 D입니다.

원형 배치는 한 명의 자리를 임의로 정하고 시작해야 해.

❶
• A와 B는 마주 보고 있습니다.
• C의 바로 왼쪽에 A가 있습니다.
• D의 양 옆에는 A와 E가 있습니다.

C와 마주 보고 있는 사람은 누구입니까?

첫 번째 조건에서   두 번째 조건에서   세 번째 조건에서

E

❷
• A의 왼쪽으로 한 건너에 C가 있습니다.
• D와 F는 마주 보고 있습니다.
• B는 C와 D 사이에 있습니다.

A의 바로 왼쪽에 있는 사람은 누구입니까?

첫 번째 조건에서   세 번째 조건에서   두 번째 조건에서

F

❸
• B의 오른쪽으로 한 칸 건너에 F가 있습니다.
• C의 바로 옆에 E가 있습니다.
• E의 바로 왼쪽에 A가 있습니다.

B와 마주 보고 있는 사람은 누구입니까?

첫 번째 조건에서   두 번째, 세 번째 조건에서 E의 바로 왼쪽에 A, 바로 오른쪽에 C가 있으므로 A, E, C는 나란히 붙어 있습니다.

A

확인학습

4주차

은행, 안경점, 꽃집, 편의점, 서점, 세탁소가 있습니다. 다음을 보고 빈 곳에 알맞은 가게의 이름을 써넣으세요.

안경점	꽃집	서점

세탁소	은행	편의점

①
- 편의점과 서점이 횡단보도에서 가장 가깝습니다.
- 은행은 세탁소 오른쪽에 있고, 꽃집은 서점 바로 왼쪽에 있습니다.
- 안경점은 도로 위쪽에 있습니다.

첫 번째 조건에서

편의점	
서점	

또는

	서점
	편의점

두 번째 조건에서

세탁소	은행	

꽃집	서점	

또는

	꽃집	서점

	은행	편의점

② A, B, C, D, E, F, G, H 8명이 핀 모양의 탁자에 둘러앉아 있습니다. 물음에 답하세요.

- A와 H는 서로 마주 보고 있고 H 오른쪽에 E가 앉아 있습니다.
- G의 오른쪽으로 한 칸 건너에 A가 앉아 있습니다.
- B는 C와 H 사이에 앉아 있습니다.
- B와 D는 서로 마주 보고 있습니다.

E와 마주 보고 있는 사람은 누구입니까?

첫 번째 조건

두 번째 조건

세 번째 조건

네 번째 조건

F

팔세 C2_퍼즐과 전략

마무리 평가

TEST 1
마무리 평가

❖ 출발점에서 폭탄을 피해 모든 방을 한 번씩 지나 도착점까지 가는 길을 그려 보세요.

①

②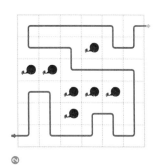

❖ 선으로 연결된 ○ 안에 연결된 수가 들어가지 않도록 수를 한 번씩 써넣으세요.

③ 1부터 5까지의 수

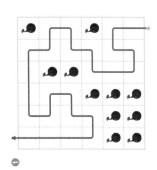

④ 1부터 7까지의 수

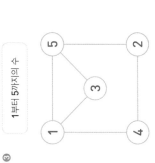

이 외에도 여러 가지 방법이 있습니다.

Pensées
제한 시간 15분
맞은 개수 /7개

가로, 세로, 대각선에 놓인 세 수의 합이 모두 같도록 1부터 9까지의 수를 한 번씩 써넣어 만든 마방진입니다. 색칠된 칸에 알맞은 수를 써넣으세요.

⑤
8		
3	9	
		2

색칠된 칸의 수를 □라 하면
□+2=8+3, □=9

⑥
	9	8
	5	
		6

색칠된 칸의 수를 □라 하면
□+6=9+5, □=8

❖ A, B, C, D, E, F, G, H 8명이 원 모양의 탁자에 둘러앉아 있습니다. 물음에 답하세요.

⑦

• A와 G는 서로 마주 보고 있고, A의 오른쪽에 D가 앉아 있습니다.
• B는 E와 H 사이에 앉아 있습니다.
• F와 E는 서로 마주 보고 있습니다.

B와 마주 보고 있는 사람은 누구입니까?

첫 번째 조건에서   두 번째 조건에서   세 번째 조건에서

C

⑤ 한 줄에 있는 세 수의 합이 ○ 안의 수가 되도록 다음 수를 한 번씩 써넣으세요.

3, 6, 9, 12, 15

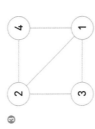

24
3+6+15=24,
3+9+12=24

27
3+9+15=27,
6+9+12=27

30
3+12+15=30,
6+9+15=30

이 외에도 여러 가지 방법이 있습니다.

⑥ 줄을 선 전체 학생 수를 구해 보세요.

- 천원이는 뒤에서 세 번째에 서 있습니다.
- 인수는 앞에서 두 번째에 서 있습니다.
- 인수와 천원이 사이에 한 명이 있습니다.

6명

답 6 명

TEST 2

마무리 평가

① 같은 도형끼리 선을 이으세요. 단, 선은 서로 겹치지 않고 모든 칸을 지나야 합니다.

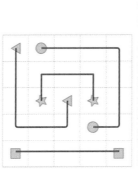

②

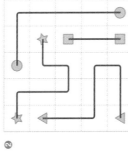

모든 칸에 선이 한 번만 지나가고, 다른 선과 만나지 않도록 선을 이어 봅니다.

이 외에도 여러 가지 방법이 있습니다.

③ 선으로 연결된 ○ 안의 수의 합을 □ 안에 써넣으세요.

④

마무리 평가

TEST 3

마무리 평가

❖ 모든 칸에 선이 한 번씩 지나가도록 글자 순서대로 이어 보세요.

①

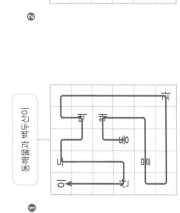

동해물과 백두산이

이 외에도 여러 가지 방법이 있습니다.

②

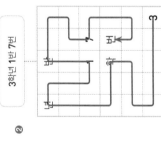

3학년 1반 7번

❖ 가로 또는 세로로 연속된 수가 들어가지 않도록 1부터 9까지의 수를 한 번씩 써넣으세요.

③

1	9	4
3	5	7
6	8	2

④

7	2	4
9	6	8
1	3	5

또는

7	2	4
3	6	8
1	9	5

❖ 한 줄에 있는 세 수의 합이 ☐ 안의 수가 되도록 1부터 6까지의 수를 한 번씩 써넣으세요.

⑤

[10]

1+3+6=10, 1+4+5=10,
2+3+5=10
두 번 나오는 수 1, 3, 5를 꼭짓점 부분에 씁니다.

⑥

[12]

1+5+6=12, 2+4+6=12,
3+4+5=12
두 번 나오는 수 4, 5, 6을 꼭짓점 부분에 씁니다.

이 외에도 여러 가지 방법이 있습니다.

❖ A, B, C, D, E가 한 줄로 서 있습니다. 가장 앞에 선 학생부터 순서대로 쓰세요.

⑦

· **A**는 **B**보다 앞에 서 있고 **C**보다 뒤에 서 있습니다.
· **C**는 **D**보다 앞에 서 있고, **E**보다 뒤에 서 있습니다.
· **D** 뒤에 **1**명이 서 있습니다.

답 | E | C | A | D | B |

첫 번째 조건에서 C, A, B의 순서대로 서 있습니다.
두 번째 조건에서 E, C, D의 순서대로 서 있습니다.
세 번째 조건에서 D는 네 번째에 서 있습니다.
따라서 가장 앞에 선 학생부터 순서대로 쓰면 E, C, A, D, B입니다.

TEST 4 마무리 평가

❖ 같은 수끼리 선을 이으세요. 단, 선은 서로 겹치지 않고 모든 칸을 지나야 합니다.

①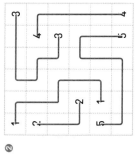

②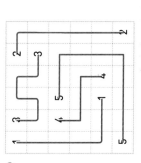

이 외에도 여러 가지 방법이 있습니다.

❖ 선으로 연결된 ○ 안의 수의 합이 □ 안의 수입니다. ○ 안에 알맞은 수를 써넣으세요.

③

1이 들어간 위치부터 알아봅니다.

④

가운데의 ○는 남은 4개와 모두 연결되어 있습니다.

❖ 가로, 세로, 대각선에 놓인 세 수의 합이 모두 같도록 1부터 9까지의 수를 한 번씩 써넣어 만드는 마방진입니다. 색칠된 칸에 알맞은 수를 써넣으세요.

⑤

색칠된 칸의 수를 □라 하면
$\square \times 2 = 1 + 7$, $\square = 4$

⑥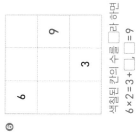

색칠된 칸의 수를 □라 하면
$6 \times 2 = 3 + \square$, $\square = 9$

❖ A, B, C, D, E가 한 줄로 서 있습니다. 가장 앞에 선 학생부터 순서대로 쓰세요.

⑦
• A, B, C, D, E가 한 줄로 서 있습니다.
• E는 C보다 7 m 앞에 서 있습니다.
• D는 C보다 3 m 뒤에 서 있습니다.
• D는 A보다 5 m 뒤에 서 있습니다.
• B는 E보다 9 m 뒤에 서 있습니다.

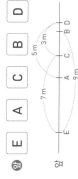
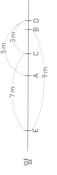

답 E A C B D

마무리 평가

TEST 5

Pensées
제한 시간 15분
맞은 개수 /7개

❖ ○ 안의 수만큼 칸을 지나 도착점까지 선을 그어 보세요. 가로 또는 세로로만 선을 그을 수 있고, 한 번 지나간 칸은 다시 지날 수 없습니다.

①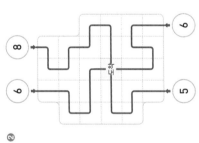

②

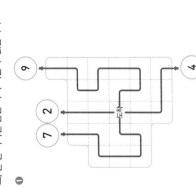

❖ ○ 안의 수는 연결된 선의 개수입니다. ○ 안의 수에 맞게 선을 그어 보세요.

③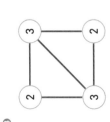

④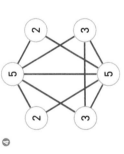

❖ 가로, 세로, 대각선에 있는 세 수의 합이 모두 같아지도록 빈칸에 알맞은 수를 써넣으세요.

⑤

7	17	3
5	9	13
15	1	11

⑥

12	14	4
2	10	18
16	6	8

❖ 은행, 안경점, 꽃집, 편의점, 서점, 세탁소가 있습니다. 다음을 보고 빈 곳에 알맞은 가게의 이름을 써넣으세요.

⑦

- 은행과 안경점은 가장 멀리 떨어져 있습니다.
- 편의점 바로 오른쪽에는 서점이 있습니다.
- 세탁소 아래에는 편의점이 있습니다.
- 은행 바로 옆에는 편의점이 있습니다.

첫 번째 조건에서

은행		안경점

또는

안경점		은행

두 번째, 세 번째 조건에서

세탁소		
편의점	서점	

또는

	세탁소	
편의점	서점	

네 번째 조건에서

	안경점	
은행	편의점	서점

	안경점	
세탁소	편의점	서점

꽃집	세탁소	안경점
은행	편의점	서점

pensées

pensées

지식과상상 연구소 ^{since 2013}
교재 소개 및 난이도 안내

＊일부 교재 출시 예정입니다.

	하	중	상

도형

도형 학습 스타트
플라토　　6세 ~ 초6

연산

연산의 새로운 기준
칸토의 연산　　5세 ~ 초6

연산으로 상위권 점프
응용연산　　6세 ~ 초6

서술형

수학 실력은 결국 독해력
수학독해　　6세 ~ 초6

사고력

반드시 필요한 사고력만
팡세　　6세 ~ 초6

예비초등수학

쉽게, 빠르게, 재미있게
구구단

저학년 시간 학습 준비 끝
시계와 달력　　5세 ~ 초2

꼭 알아야 할 실생활 수학
길이와 화폐

기초 튼튼, 개념 탄탄
분수

Man is but a reed,
the most feeble thing in nature;
but he is a thinking reed,

"인간은 자연에서 가장 연약한 갈대에 불과하다.
하지만 인간은 생각하는 갈대이다."

Blaise Pascal, 블레즈 파스칼

펜토미노턴

평면 공간감각을 길러주는 회전 펜토미노 퍼즐

초등학생들이 어려워하는 '평면도형의 이동'을 펜토미노와 패턴블록으로 도형을 직접 돌려 보며 재미있게 해결하는 공간감각 퍼즐입니다.

큐브빌드

입체 공간감각을 길러주는 멀티큐브 퍼즐

머릿속으로 그리기 어려운 입체도형을 쌓기나무와 멀티큐브를 이용하여 직접 만들어 위, 앞, 옆 모양을 관찰하고, 다양한 입체 모양을 만드는 공간감각 퍼즐입니다.

폴리탄

도형 감각을 길러주는 입체 칠교 퍼즐

정사각형을 7조각으로 자른 '입체 칠교'와 직각이등변삼각형을 붙인 '입체 볼로'를 활용하여 평면뿐만 아니라 다양한 입체도형 문제를 해결하는 퍼즐입니다.

트랜스넘버

자유자재로 식을 만드는 멀티 숫자 퍼즐

자유자재로 식을 만들고 이를 변형, 응용하는 활동을 통해 연산 원리와 연산감각을 길러주는 멀티 숫자 퍼즐입니다.

머긴스빙고

수 감각을 길러주는 창의 연산 보드 게임

빙고 게임과 머긴스 게임을 활용하여 수 감각과 연산 능력을 끌어올리고 전략적 사고를 키우는 사고력 보드 게임입니다.

폴리스퀘어

공간감각을 길러주는 입체 폴리오미노 보드 게임

모노미노부터 펜토미노까지의 폴리오미노를 이용하여 다양한 모양을 만들어 보고, 여러 가지 땅따먹기 게임 등을 통해 공간감각을 기를 수 있는 보드 게임입니다.

큐보이드

입체를 펼치고 접는 전개도 퍼즐

여러 가지 모양의 면을 자유롭게 연결하여 접었다 펼치는 활동을 통해 정육면체, 직육면체 전개도의 모든 것을 알아보는 전개도 퍼즐입니다.